NOUVE...
Histo...
drôles

Illustration de la couverture :
Philippe Germain

EH Héritage
jeunesse

Nouvelles Histoires drôles nº 66
Illustration de la couverture : Philippe Germain
Conception graphique de la couverture : Luc Boileau
© Les éditions Héritage inc. 2004
Tous droits réservés

Dépôts légaux : 1er trimestre 2004
Bibliothèque nationale du Québec
Bibliothèque nationale du Canada

ISBN : 2-7625-1948-9
Imprimé au Canada

Les éditions Héritage inc.
300, rue Arran
Saint-Lambert (Québec) J4R 1K5
Téléphone : (514) 875-0327
Télécopieur : (450) 672-5448
Courriel : info@editionsheritage.com

À tous ceux et celles qui aiment collectionner, écouter et raconter des blagues.

En vacances, deux touristes visitent le Sahara. L'un d'eux saisit soudain son appareil photo pour prendre une oasis.

— Laisse tomber, c'est un mirage!

— Aucune importance, répond l'autre, je n'ai pas mis de pellicule!

•

C'est un monsieur en vacances qui visite l'Australie. Il demande au réceptionniste de l'hôtel:

— Comment appelle-t-on les ascenseurs, ici?

— Mais monsieur, comme partout ailleurs, on les appelle en appuyant sur le bouton!

•

C'est le temps des vacances d'été. Deux nigauds sont assis au bord d'un lac et regardent un homme faire du ski nautique. L'un dit à l'autre:

— Combien tu paries qu'il ne réussira pas à dépasser le bateau?

•

Un vacancier en Afrique demande à un habitant de l'endroit :

— Est-ce que je peux me baigner ici ?

— Bien sûr.

— Il n'y a pas de requins au moins ?

— Mais non, monsieur.

— Vous en êtes sûr ?

— Absolument certain, les crocodiles les ont tous mangés.

●

Un policier arrête une voiture et dit au conducteur :

— Bravo monsieur, et bienvenue aux vacanciers dans notre région. Vous êtes la millionième auto à traverser ce pont. Vous gagnez cent dollars !

— Merci beaucoup, dit l'homme au volant. Ça tombe bien ! Je vais justement pouvoir passer mon examen de conduite !

— Pardon ? dit le policier.

— Ne l'écoutez pas ! dit la femme du conducteur. Il est complètement soûl, il dit n'importe quoi !

— Hein? s'étouffe le policier.

— Je le savais! dit le passager arrière. Je vous avais bien dit qu'on n'irait pas loin avec une voiture volée!

•

C'est en été sur le bord d'un lac :

— Monsieur, que mettez-vous au bout de votre hameçon?

— Du fromage mozzarella.

— Hein? Mais que pensez-vous donc prendre?

— De la pizza!

•

C'est la fin de l'année et Pascal attend l'autobus à côté d'un monsieur.

— Tu as bien l'air content! lui dit l'homme.

— Oh oui! Je viens de finir l'école et c'est le début des vacances.

— Chanceux! Est-ce que tu as bien réussi ton année?

— Je pense que je vais avoir d'excellentes notes dans mon bulletin.

— Ah oui ? Tu as bien étudié ?

— Non. Mais je vais vous dire un secret : j'ai copié et j'ai triché dans tous mes examens ! Ha ! Ha !

— C'est vrai ? Moi aussi, je vais te dire un secret : je suis le directeur de la commission scolaire !

— Euh... et moi, vous savez, je suis le plus grand menteur de toute l'école !

●

Des futurs parents, en balade dans leur automobile, sont arrêtés au feu rouge.

— Pierre, lui demande son épouse, comment allons-nous appeler nos petits jumeaux ?

— Je sais ! On n'a qu'à les appeler Rouge-Arrête et Vert-Passe.

— Mais voyons, ce ne sont pas des noms d'enfants !

— Ben, le voisin a bien appelé le sien Jaune-Attend (Jonathan) !

●

Pierre et Paul sont à leur premier voyage de pêche.

Pierre : As-tu bien remarqué où était l'endroit plein de poissons sur le lac, ce matin ?

Paul : Oui, j'ai fait un X sur la chaloupe.

Pierre : Voyons, imbécile ! On va avoir l'air fin si on n'a pas le même bateau cet après-midi !

●

Dans un parc touristique, le gardien du parc aperçoit un nageur dans le lac.

— Monsieur, lui crie-t-il, vous n'avez pas vu la pancarte ? C'est strictement défendu de se baigner ici.

— Mais je ne me baigne pas, glou ! je me noie ! lui répond le baigneur en avalant de l'eau et en se débattant.

— Oh ! dans ce cas, je m'excuse, faites comme si je n'avais rien dit !

●

Entre le Canada et les États-Unis, il y a un grand lac. En plein milieu du lac, il y a un mur. Sur ce mur se trouve un canard. Le canard pond. Dans quel pays pond-il son œuf? Les canards ne pondent pas d'œufs. Ce sont les canes qui pondent.

●

— Pardon, madame, pouvez-vous me dire où se trouve le terminus d'autobus?

— Juste en face de vous, monsieur.

— En face?

— Eh oui! Mais si vous préférez, vous pouvez vous retourner, alors il sera derrière vous...

●

Madame Choquette prend l'avion pour la première fois. Elle demande à l'agent de bord qui s'approche d'elle:

— Pardon, monsieur, pouvez-vous me dire où sont les toilettes?

— Tout droit à l'avant. Madame Choquette se dirige vers l'avant et entre par erreur dans la cabine de pilotage. Elle ressort aussi vite et se précipite vers l'agent de bord :

— Mon Dieu ! Dans les toilettes, il y a quatre hommes qui regardent la télé !

●

Lors d'une exposition agricole régionale, un pilote offrait des vols à 10 $. Son avion était un vieux modèle avec l'habitacle ouvert pour le pilote et les passagers. Un vieux fermier et sa femme surveillaient les décollages et les atterrissages depuis une bonne heure. Le pilote, qui les avait remarqués, s'approcha d'eux :

— J'ai une proposition à vous faire. Si vous me promettez de ne pas crier et de rester bien tranquilles, je vous offre un vol gratuit. Le couple, heureux de pouvoir faire son baptême de l'air, accepte avec plaisir. Après une quinzaine de minutes de voltige, le pilote atterrit.

— Bravo ! dit-il au fermier. Vous avez été un passager exemplaire !

— Merci bien, mais si vous saviez comme j'ai failli crier quand ma femme est tombée de l'avion !

•

Deux nigauds discutent :

— J'ai eu des skis nautiques en cadeau.

— Chanceux ! Tu en fais souvent ?

— Non, je n'ai pas encore trouvé de lac avec une pente.

•

— Ma femme et moi avons acheté hier un superbe service de vaisselle de 300 pièces.

— Trois cents pièces ! Mais à quoi ça peut bien vous servir ?

— Ben... en fait, on a acheté un service de 48 pièces, mais en sortant de l'auto, j'ai trébuché...

•

Bill et Toto sont en voyage à Londres. Ils font leur première promenade dans un autobus à étage. Bill va faire un petit tour à l'étage et redescend, blanc comme un drap.

— Qu'est-ce qui t'arrive ? lui demande Toto.

— Écoute, j'ai juste une chose à te dire : moi, je ne remonte plus là-haut, je t'avertis !

— Pourquoi ?

— Il n'y a même pas de conducteur !

•

Pour les vacances d'été, Véronica va chez sa grand-mère en Gaspésie, et en avion s'il vous plaît ! Elle téléphone à la compagnie d'aviation.

Véronica : Je voudrais réserver un billet pour Gaspé.

La téléphoniste : Quelle classe ?

Véronica : Quelle classe ? 6e année C.

•

Qui se déplace sans bouger ?
Un passager d'avion.

●

La famille de Francis est en train de pique-niquer.

— Papa ! Papa ! Tu as...

— Franchement, Francis, je suis en train de parler à ta mère, ne me coupe pas la parole ! Tu me parleras quand j'aurai fini de dire ce que j'avais à dire. Quand le père a fini sa phrase, il demande à Francis ce qu'il avait à dire.

— Non, laisse faire, papa, trop tard ! Tu as déjà mangé le ver qui était dans ta salade.

●

Au mois de juillet, monsieur Bertrand loue un joli chalet dans les Laurentides. Il entre donc et trouve une mouche noire sur son lit. Il appelle aussitôt le propriétaire :

— Dites donc, vous m'aviez garanti qu'il n'y avait pas de mouches noires ici! Regardez!

— Mais ne vous énervez pas pour si peu! De toute façon, elle est morte, cette mouche noire. Le lendemain matin, en se dirigeant vers le lac, monsieur Bertrand rencontre son propriétaire.

— Alors, monsieur Bertrand, vous avez bien dormi?

— Eh bien, vous vous souvenez de la mouche noire d'hier soir? Elle était bien morte, et toute sa famille et ses amis étaient à son enterrement cette nuit!

•

Un bandit se trouve sur un radeau en plein milieu d'un lac. La police cerne le lac, des hélicoptères le survolent.

Comment le bandit va-t-il sortir du lac?

Mouillé.

•

À l'aéroport, madame Picard décide d'aller se plaindre au comptoir de la compagnie d'aviation.

— C'est un scandale! L'avion est encore en retard! Ce n'est pas normal!

— Ah oui? Et à quoi servent les salles d'attente, madame?

•

Monsieur Lavoie est en vacances aux États-Unis mais il ne parle pas anglais. Au restaurant, la seule chose qu'il peut dire, c'est «beans». Il commence à en avoir assez! Il rencontre un touriste qui lui apprend à commander du jambon et des œufs en disant «ham and eggs». Le lendemain, tout content, monsieur Lavoie entre au restaurant. La serveuse lui demande ce qu'il veut et il répond:

— Ham... ham... voyons... Ah! hamène-moi donc des beans!

•

— Je suis en vacances et je m'en vais visiter Vancouver mais je ne sais pas comment y aller.

— Prends l'avion!

— Tu es fou! J'ai bien trop peur de l'avion!

— Prends le train, alors!

— Le train, c'est aussi dangereux!

— Voyons donc! Qu'est-ce qui est si dangereux en train?

— Un avion pourrait s'écraser et tomber dessus!

•

Madame Bédard prend l'avion pour la première fois. Une fois assise à sa place, elle se risque à jeter un coup d'œil par le hublot.

— Mon Dieu! dit-elle à son voisin. C'est vrai qu'on vole haut! Regardez les gens, en bas, on dirait des fourmis!

— Mais madame, ce sont des fourmis. L'avion n'a pas encore décollé!

•

Un homme se promène sens contraire des voitures sur l'autoroute. Il ouvre la radio et entend :

— Soyez prudents, un fou se promène à l'envers sur l'autoroute ! Il referme la radio et dit :

— Ouais, et il n'est pas tout seul !

●

Monsieur Gallant a pris ses vacances un peu avant l'ouverture de la chasse au canard. Mais monsieur Gallant va quand même chasser. Il est vraiment très chanceux car à peine deux heures après son arrivée, il tire sur son premier canard. Il s'installe au bord d'un lac et commence à plumer sa prise. Soudain, il entend des pas. Comme il a très peur de se faire prendre par un garde-chasse, il lance l'oiseau au bout de ses bras dans le lac, et se met à siffler comme si de rien n'était.

— Bonjour monsieur ! lui dit le garde-chasse.

— Bonjour!

— Je dois vous arrêter car la chasse au canard est interdite.

— Oui, oui, je le sais! Je ne chassais pas!

— Ah! non? Et c'est quoi, ce petit tas de plumes à vos pieds?

— Ça? C'est un canard qui est parti se baigner et qui m'a demandé de surveiller ses vêtements...

•

Un touriste américain se promène à Québec. Il arrête un passant pour lui demander:

— Excusez-moi, monsieur, je ne parle pas très bien français. Est-ce que je devrais dire «vagon» ou «wagon»?

— Eh bien moi, je dis «wagon». Mais dites-moi, monsieur, vous n'êtes pas d'ici?

— Oh non! moi, je suis en «wacances»!

•

Émilie : Vous dites que les fourmis sont des insectes qui sont toujours très occupés.

Le prof : Oui, c'est vrai.

Émilie : Alors, il y a quelque chose que je ne comprends pas. Si elles sont si occupées, pourquoi sont-elles toujours là quand on fait un pique-nique ?

•

Madame Sabourin s'apprête à monter dans l'avion.

— Vous avez votre billet, madame ?

— Un billet ? Non. Je n'en achète plus, je ne gagne jamais !

•

La prof : Qu'est-ce qu'une fourmi ?

Geneviève : C'est quelque chose qui arrive toujours en quantité industrielle chaque fois qu'on s'installe pour faire un pique-nique.

•

Un guide montrait les chutes du Niagara à un touriste du Texas.

— Je parie que vous n'avez rien de semblable au Texas.

— Non, répond le Texan, mais nous avons des plombiers qui pourraient colmater cette fuite d'eau.

•

Un homme conduisait sa voiture sur une rue à sens unique mais en direction opposée. Un policier l'arrête.

— C'est une rue à sens unique, l'ami, dit le policier.

— Je sais, répond l'automobiliste, je m'en vais dans une seule direction.

•

Dans l'avion :

— Veuillez attacher vos ceintures ! demande l'agent de bord.

— Je suis désolé, répond un passager, mais moi, je ne porte que des bretelles !

•

Une dame en vacances prend l'avion pour la première fois. Au moment où elle fait inspecter ses bagages, le douanier se rend compte que sa valise est pleine de pots de colle.

— Madame, que faites-vous avec tout ça ? Vous vous lancez dans la contrebande ?

— Pas du tout. Mais on m'a toujours dit que les avions décollent. Alors j'aime mieux ne pas prendre de risques !

●

La policière : Avez-vous déjà eu une contravention, monsieur ?

Le conducteur : Non, jamais.

La policière : Vous êtes vraiment un automobiliste exceptionnel !

Le conducteur : Non, je suis un automobiliste qui ne s'est jamais fait prendre !

●

— Mon ami avait décidé l'année dernière de participer à la traversée du lac Saint-Jean.

— A-t-il réussi?

— Bien... après avoir traversé plus de la moitié du lac, il s'est découragé. Il s'est dit qu'il ne serait jamais capable de réussir, alors il est reparti à la nage vers son point de départ...

•

Laurent, Noémie et Charles sont dans un avion qui vient de perdre ses moteurs. Laurent saute sur un des deux parachutes et, sans même dire un mot à ses copains, il se lance hors de l'avion!

Noémie: C'est incroyable! Quel sans-cœur! On a tout un problème à présent! Il ne reste qu'un parachute pour nous deux!

Charles: Ne t'inquiète surtout pas! Laurent vient de sauter avec mon sac à dos...

•

Une famille cannibale prend l'avion.

— Désirez-vous voir le menu ? leur demande l'agent de bord.

— Ce ne sera pas nécessaire, donnez-nous plutôt la liste des passagers !

•

Une dame prend l'avion pour la République Dominicaine.

— Pardon monsieur, demande-t-elle à l'agent de bord, connaissez-vous quelques mots d'espagnol que vous pourriez m'enseigner ?

— Moi, je ne parle pas espagnol, mais si vous mettez vos écouteurs, vous entendrez un petit cours de conversation.

— Oh, merci ! La dame ajuste les écouteurs et se concentre pendant une bonne demi-heure. Elle a très hâte de sortir de l'avion pour mettre en pratique ses nouvelles connaissances. À l'atterrissage, l'agent de bord lui demande :

— Alors, pouvez-vous me dire quelques mots en espagnol?

— Très facile : sssssssssssssss…

•

Deux pêcheurs sont sur le bord du lac :

— Moi, je pêche à la mouche. Je trouve que c'est la meilleure méthode. Et toi?

— Moi, je pêche aux allumettes.

— Hein? Qu'est-ce que tu réussis à attraper avec ça?

— Du saumon fumé!

•

Une dame prépare ses vacances et téléphone au terminus d'autobus :

— Bonjour! Combien de temps faut-il pour aller de Montréal à Sept-Îles?

— Un instant, madame.

— Oh! Merci beaucoup!

•

Un Japonais rend visite à ses amis du Lac-Saint-Jean. Après le souper, il leur demande :

— Où puis-je trouver un yélo saki ?

— Un quoi ?

— Un yélo saki.

— Désolés, nous n'avons aucune idée de quoi il s'agit.

— Voyons ! Tout le monde connaît ça ! On le prend dans nos mains quand il sonne et on dit : Yélo saki qui parle ?

•

Françoise est en auto sur l'autoroute avec son père. Le conducteur devant eux roule comme une vraie tortue ! Son père s'impatiente et s'écrie :

— NON MAIS QUEL IMBÉCILE ! IL SE CROIT SEUL SUR LA ROUTE OU QUOI ?

— Mais papa, tu n'as qu'à changer de voie ! Le père murmure alors :

— Non mais quel imbécile ! Il se croit seul sur cette voie ou quoi ?

•

Un malheur de vacances dans l'avion :

— Mesdames et messieurs, bienvenue à bord ! Nous vous prions de bien vouloir attacher vos ceintures pour le décollage. Et un peu plus tard :

— Mesdames et messieurs, nous désirons vous aviser que vous devrez vous serrer un peu la ceinture parce que nous remarquons à l'instant que les repas sont restés à l'aéroport...

●

Monsieur Sarrasin est sur le bord de la route, l'air découragé, sa voiture sur le toit. Un automobiliste s'arrête et lui demande :

— Vous avez eu un accident ?

— Non, répond monsieur Sarrasin. Qu'est-ce qui vous fait penser ça ? Tous les jours, je retourne ma voiture à l'envers pour voir si les pneus sont en bon état !

●

Un touriste revient de voyage et se rend au centre de photo.

— Est-ce que vous faites des agrandissements grandeur nature?

— Oui monsieur.

— Très bien, alors faites-moi des agrandissements de ces photos des chutes du Niagara.

●

La famille de Martine arrive à l'aéroport avec des bagages plein les bras!

— Tout ce qui nous manque, dit le père de Martine, c'est le four à micro-ondes!

— Franchement, papa! Tu ne trouves pas qu'on est assez chargés comme ça?

— Non, non, ce n'est pas ça. C'est juste que j'ai laissé les billets d'avion sur le four à micro-ondes...

●

Le policier : Dites donc, vous ne m'avez pas entendu quand je vous ai crié de vous arrêter ?

Le touriste : Oui, mais croyez-vous que je m'arrête à chaque bruit que j'entends ? J'ai simplement pensé que c'était quelqu'un sur qui je venais de rouler !

●

Dans l'avion, un petit garçon n'arrête pas de déranger tout le monde. Il se promène sous les bancs, il renverse les verres et les plateaux, il fait sursauter les agents de bord en les mordant, il s'enferme dans les toilettes et verrouille la porte, bref tous les passagers commencent à en avoir assez. Un agent de bord, complètement à bout de nerfs, le prend par le bras et lui dit :

— Toi, si tu ne te calmes pas tout de suite, je vais t'envoyer jouer dehors.

●

Sofia : C'est vrai, grand-papa, que pendant ta jeunesse, tu as fait un camp de parachutisme ?

Le grand-père : Oui.

Sofia : Combien de fois as-tu sauté d'un avion ?

Le grand-père : Zéro.

Sofia : Quoi ?

Le grand-père : Mais on m'a poussé quinze fois, par contre !

•

François et Françoise partent en voyage. L'avion vient juste de décoller quand Françoise s'exclame :

— Catastrophe !

— Que se passe-t-il ? demande François.

— Je viens de penser que j'ai oublié d'éteindre le four.

— Bof ! Pas de danger que la maison brûle, j'ai oublié de fermer le robinet de la douche.

•

Dans une colonie de vacances, au bord du lac :

— Pourquoi te baignes-tu avec tes bas ?

— Parce que l'eau est bien trop froide !

●

Alexandre, un Montréalais, fait visiter sa ville à deux touristes.

— Voici le Stade olympique, dit-il, très fier.

— Dans mon pays, dit un des touristes en souriant, en une semaine, on peut construire un édifice comme celui-là !

— Vous voulez rire, reprend l'autre touriste. Chez nous, ça ne prendrait même pas deux jours !

— Ce n'est rien ça ! dit Alexandre, plutôt insulté. Quand je suis sorti ce matin pour aller au dépanneur, il n'était même pas encore là !

●

— Maman, viens vite !

— Que se passe-t-il ?

— La grosse table de pique-nique qui était accrochée au plafond du garage vient de tomber.

— Mais il faut absolument prévenir ton père !

— Oh, il le sait déjà, il est en dessous. Il la descendait pour les vacances d'été.

●

Deux copains discutent :

— Le secret du bonheur, c'est d'avoir une vie bien équilibrée.

— De quel équilibre parles-tu ?

— Eh bien, l'équilibre entre le travail et le plaisir, par exemple.

— Alors chez nous, on a tout pour être heureux.

— Comment ça ?

— Ma sœur va à l'école, et moi je m'occupe des loisirs.

●

Au terminus d'autobus, le conducteur vérifie les billets de tous les passagers de son autobus.

— Mais madame, il y a une erreur. Vous avez un billet pour Québec et moi, je m'en vais à Ottawa.

— Dites donc, répond la dame, ça vous arrive souvent de vous tromper de direction comme ça?

•

Que faut-il toujours faire avant de descendre d'un avion?

— Je ne sais pas, je n'ai jamais pris l'avion.

— Il faut y monter!

•

Dans l'autobus, Mireille déguste sa gomme à mâcher. Au bout de cinq minutes, une vieille dame assise juste en face d'elle lui dit:

— Ce n'est pas la peine de me parler, tu sais, je suis dure d'oreille et je ne peux pas t'entendre.

•

Sur une route de campagne, un vacancier en automobile est arrêté par un homme qui se dirige vers lui en courant :

— Pardon, monsieur. Han... han... dit-il à bout de souffle, vous n'auriez pas croisé han... han... un camion rempli de cochons ?

— Quoi, vous en êtes tombé ?

●

Le policier : Monsieur, je dois vous arrêter. Premièrement, vous conduisez bien trop vite, ensuite, vous avez oublié un arrêt obligatoire, vous vous promenez d'une voie à l'autre et vous ne portez même pas votre ceinture.

L'automobiliste : Je sais bien, mais voyez-vous, je suis en train d'apprendre à conduire.

Le policier : C'est vrai ? Mais où est votre professeur ?

L'automobiliste : Euh...c'est parce que je suis des cours par correspondance.

●

Un gars appelle un taxi pour l'aéroport. Il patiente environ une demi-heure, puis comme le taxi n'est toujours pas là, il rappelle la compagnie de taxis. On lui répond que le taxi est en route.

— Je suis pressé. Mon avion décolle dans 30 minutes!

— Je suis désolé pour le retard mais ne vous en faites pas, les avions décollent toujours avec du retard!

— Je n'en doute pas: Devinez qui est le pilote!

•

Un automobiliste se réveille à l'hôpital et regarde son voisin de chambre avec surprise. Il dit alors:

— Monsieur, vous ai-je déjà rencontré?

— Exact! C'est même pour ça que nous sommes ici tous les deux!

•

Complètement écœuré, un automobiliste arrive au volant d'une guimbarde.

— Voilà mon problème, dit-il au réparateur, toutes les pièces de cette bagnole font du bruit, sauf l'avertisseur.

●

Sur une route dangereuse de montagne, un automobiliste est arrêté par un motard :

— Méfiez-vous, votre pare-chocs arrière est plié et touche presque par terre ! L'homme descend de sa voiture, regarde l'arrière et commence à pleurer à chaudes larmes.

— Allons, ce n'est pas grave, ne vous mettez pas dans un état pareil ! L'homme sanglote de plus belle :

— Ce n'est peut-être pas très grave pour vous, mais moi, j'aimerais bien savoir où sont passés ma femme et mes enfants qui se trouvaient dans la caravane ?

●

Deux copains discutent :

— Qu'est-ce que tu as trouvé le plus dur quand tu as appris à conduire une automobile ?

— La porte de garage que j'ai défoncée...

•

Dans un avion qui vole à une altitude de 3000 mètres, l'hôtesse circule dans le couloir quand tout à coup, on entend la voix du commandant de bord qui n'a pas coupé son micro dire :

— Bon, tout va bien, je branche le pilote automatique et je vais aux toilettes. L'hôtesse, qui constate que le micro est branché, se précipite dans la cabine de pilotage pour en aviser le pilote. Un passager lui dit alors :

— Ne vous pressez pas, il a dit qu'il allait aux toilettes et le pilote automatique ne parle pas au micro.

•

Un guide belge fait visiter un château près de Gand et s'écrie tout à coup à l'intention des touristes :

— Attention à la marche ! Puis plus bas, il dit à l'un des visiteurs qui se trouve près de lui.

— D'habitude, je ne dis rien, mais aujourd'hui, je n'ai pas envie de rigoler.

●

Un policier arrête un automobiliste et lui demande de souffler dans l'alcootest.

— Jamais ! dit le conducteur, outré. Je n'ai aucune raison de souffler là-dedans !

— Alors, dit le policier, je vais compter jusqu'à trois, et si à trois vous n'avez toujours pas obtempéré, je le ferai à votre place et là, croyez-moi, vous allez perdre au moins cinq points.

●

— Maman, toi qui penses que je ne sais jamais quoi répondre aux questions de ma maîtresse, tu vas être très contente de moi. Aujourd'hui, elle a demandé qui avait lancé une bombe puante dans la classe, et j'ai été la seule à répondre!

•

C'est une fois deux hommes qui sont à la chasse sur une île. Ils attrapent deux orignaux. Lorsque le pilote de l'avion arrive pour les chercher, il dit qu'il ne peut pas embarquer les orignaux parce qu'ils sont trop lourds. Les deux chasseurs expliquent que le pilote de l'année passée avait été capable, lui. L'orgueil du pilote étant en cause, il dit :

— OK, d'abord embarquez-les... L'avion décolle et wing bang! Les deux gars se regardent et disent :

— L'avion est tombé à la même place que l'année passée!

•

C'est une fois un gars qui tombe en panne avec sa Lada. Un autre gars arrive avec sa Camaro et lui demande :

— As-tu un problème ?

— Oui, mon auto ne fonctionne plus...

— Si tu veux, j'ai une corde dans ma Camaro, je vais attacher ta Lada et te traîner jusqu'au prochain garage. Si t'as un problème, t'auras juste à klaxonner, OK ? Le gars de la Lada accepte avec soulagement. Un peu plus loin, le gars de la Camaro se fait dépasser par une Firebird. Ne pouvant s'empêcher de défendre son honneur, il commence à accélérer pour dépasser la Firebird. Un policier qui fait du radar voit passer les deux véhicules et appelle un de ses collègues :

— Hey, il y a deux gars qui coursent sur l'autoroute, il va falloir que t'ailles les arrêter. Moi je peux pas, je sais pas ce que j'ai, j'ai comme des visions, je dois être malade ! Je suis sûrement dû pour la retraite...

— Pourquoi, qu'est-ce qui ne va pas?

— Les deux gars qui coursent? Eh ben, il y a une Lada qui klaxonne pour les dépasser!

●

Un touriste s'est perdu dans la forêt. Il aperçoit une toute petite maison. Il frappe et demande:

— Il y a quelqu'un?

— Oui, répond une petite fille.

— Est-ce que ta maman est là?

— Non, elle est sortie quand mon père est entré.

— Et ton père, il est là?

— Il est sorti quand je suis entrée.

— Mais vous n'êtes donc jamais ensemble à la maison, dans votre famille?

— À la maison, oui. Ici, ce sont les toilettes.

●

Un vieux monsieur de 85 ans est assis sur un banc, près de la banque. Il pleure à chaudes larmes. Un homme s'approche et lui demande s'il a un problème familial.

— Non, lui répond le vieux monsieur, j'habite une grande maison de quinze pièces, j'ai une piscine, un chien, une femme, des enfants et deux autos.

— Vous avez une très bonne vie, alors pourquoi pleurez-vous?

— Parce que je ne me rappelle plus où est ma maison.

•

Un homme dit à un de ses amis:

— Dans un avion hier, j'étais assis à côté d'une dame et de son bébé. L'hôtesse est venue et a dit à la mère: madame, votre bébé est mouillé, je vais vous le changer. Quand elle l'a ramené, je n'ai rien dit, mais j'ai bien vu que c'était le même.

•

Un médecin fait un voyage de tourisme en Palestine. Sur le bord du lac Tibériade, il y a un bateau-passeur qui fait la navette d'un côté à l'autre du lac pour le plaisir des touristes. Le médecin décide donc d'emprunter ce moyen de transport. Le responsable lui dit :

— Ça fera cinquante dollars, monsieur.

— Cinquante dollars pour traverser ce lac en quinze minutes ! C'est du vrai vol !

— Oui mais monsieur, vous connaissez la Bible, n'est-ce pas ? C'est ici que Jésus a marché sur les eaux !

— Je le comprends, au prix que vous chargez !

●

Un passant demande à un pêcheur :

— Alors, ça mord ?

— Oh non, vous savez, les poissons, ce n'est pas méchant !

●

C'est un genre de nigaud qui est en vacances à l'étranger. Il entre dans une quincaillerie et demande un cintre pour débarrer la portière parce que ses clés sont restées dans la voiture. Il se dirige vers son auto et se contorsionne comme un diable pour tenter d'ouvrir la portière. Au bout d'un moment, il entend une voix qui vient de la voiture. C'est sa femme qui dit :

— Un peu plus à gauche pis tu vas l'avoir !

●

Un acteur tient le rôle d'un dompteur dans un film. Il doit entrer dans la cage des lions mais il hésite. Le metteur en scène lui dit :

— Tu n'as rien à craindre, ils ont été élevés au biberon.

— Ouais... moi aussi, et maintenant, je mange des steaks !

●

Un homme est mort pendant un des trois voyages qu'il a faits en avion : Paris, Vancouver et New York.

Lequel?

Le dernier!

●

— Hé! Monsieur! Ici, ça prend un permis pour pêcher, dit le garde-pêche à un homme sur le bord d'un lac.

— Ah, merci du conseil! Ça fait des heures que j'essaie avec un ver de terre!

●

Walter et Sabrina sont en camping sauvage.

— Sais-tu quel est le comble de la vengeance?

— Non.

— C'est de mettre de la poudre à gratter à un maringouin!

●

Lucie, Alberto et Véronica sont en camping. Ils ont passé une journée infernale! Les maringouins ne les ont pas laissés en paix une seule seconde! Lucie est convaincue que, maintenant que la noirceur est arrivée, il n'y aura plus aucun problème, les moustiques vont se coucher.

— Ah oui? s'exclame Alberto en voyant arriver une horde de mouches à feu. Ben j'ai l'honneur de t'annoncer qu'ici, les maringouins ont des lampes de poche!

●

Isabelle entre dans la salle de bains et trouve son frère dans la lune, les yeux fixés sur la baignoire remplie d'eau.

— Qu'est-ce que tu fais? lui demande-t-elle.

— Je pêche.

— Et est-ce que ça mord?

— Dans une baignoire? Es-tu folle?

●

Un homme vient de passer la journée à la pêche et il n'a rien pris. Un peu gêné de rentrer chez lui bredouille, il arrête à la poissonnerie.

— Monsieur, dit-il au vendeur, je vais prendre ces trois truites-là. Pouvez-vous me les lancer, s'il vous plaît?

— Mais pourquoi?

— Comme ça, je vais pouvoir dire à ma femme que je les ai attrapées moi-même sans mentir!

•

Deux vieux copains se rencontrent sur la rue.

Jacques: Salut mon vieux! Ça va?

Robert: Bof!

Jacques: J'ai entendu dire que tu revenais d'une excursion de pêche. As-tu attrapé quelque chose?

Robert: Ouais...

Jacques: Un brochet, une truite?

Robert: Non, une bronchite...

•

Fred : Salut ! Comment vas-tu ?

Frank : Pas mal, et toi ?

Fred : Moi, bof... je suis allé à la pêche en fin de semaine.

Frank : Chanceux ! Et qu'est-ce que tu as attrapé ?

Fred : La grippe...

●

Victoria revient de vacances chez ses grands-parents. Elle demande à son frère :

— Est-ce que tu as pensé à nourrir mes poissons rouges ?

— Oui, mais j'ai complètement oublié de leur donner à boire !

●

Le garde-pêche : Monsieur, la pêche est interdite ici !

Le pêcheur : Mais je ne pêche pas ! Je suis en train de donner des cours de natation à mon ver de terre...

●

La petite Nicole : Monsieur, combien de poissons avez-vous pris ?

Le pêcheur : Aucun, mais je ne pêche que depuis une heure.

La petite Nicole : Vous êtes un meilleur pêcheur que le monsieur qui était ici hier.

Le pêcheur : Vraiment ? Et comment ça ?

La petite Nicole : Il a pris cinq heures pour réussir votre exploit.

●

Un homme se promène en voiture à la campagne. Tout à coup, catastrophe ! Il se précipite vers la maison près de laquelle il s'est arrêté.

— Madame, je suis désolé, je crois que c'est votre chat que je viens d'écraser. Pour me faire pardonner, je suis prêt à le remplacer, si vous voulez.

— Ah bon ? D'accord ! Vous commencerez par l'étable, c'est là qu'il y a le plus de souris.

●

Une dame se promène dans la forêt sur son cheval. Elle aperçoit un lapin qui lui dit : « Bonne journée, madame ! » Tout étonnée, la dame dit : « Je ne savais pas que les lapins pouvaient parler. » « Moi non plus », répond le cheval.

●

Angèle s'en va au camp de vacances. Au moment de son départ, sa mère lui dit :

— Angèle, j'attends de tes nouvelles. Écris-moi sans faute !

— Oh, tu sais, maman, je n'ai jamais été tellement bonne en français !

●

Une jeune fille est assise au bord de la rue, tendant une ligne à pêche au-dessus d'une flaque d'eau. Un passant la regarde. Amusé, il lui demande :

— Est-ce que ça mord ?

— Oh oui ! Vous êtes le cinquième que j'attrape !

●

— Pourquoi transportes-tu seulement un sac à la fois ? demande le patron au nigaud. Tous les autres employés en transportent deux.

— Que voulez-vous, patron, les autres sont trop paresseux pour faire deux voyages !

•

Le professeur demande à ses élèves ce qu'ils ont fait pendant les vacances.

— Moi, je suis allée chez mon grand-père, répond Catherine.

— Ton grand-père paternel ou maternel ?

— Euh... mon grand-père ingénieur !

•

Quelle est la destination vacances préférée des chats ?

Les îles Canaries.

•

Entendu dans la salle des profs :

— J'aime tellement mon métier de professeur.

— Moi aussi, surtout l'été !

•

Deux pêcheurs discutent :

— C'est un lac sensationnel pour la truite !

— Je comprends ! Ça fait cinq jours que je pêche et pas une truite ne veut le quitter !

•

Frédéric (7 ans) rend visite à son cousin Thomas (4 ans).

Frédéric : Pauvre Thomas, tu ne vas pas encore à l'école !

Thomas : Mais moi, je suis vraiment content de ne pas encore aller à l'école.

Frédéric : Mais tu n'es pas chanceux, tu ne connais pas la joie d'être en vacances !

•

Le garde-pêche aperçoit Hubert sur le bord de l'eau :

— Monsieur, j'ai le regret de vous dire qu'il est interdit de pêcher ici.

— Mais je ne pêche pas, j'apprends à nager à mon ver.

●

Un vendeur qui fait du porte-à-porte cherche des clients dans une campagne reculée. Il tente de convaincre la propriétaire du chalet d'acheter un aspirateur. Pour lui prouver que sa marchandise est d'excellente qualité, il renverse par terre la poubelle de la dame et dit :

— Je m'engage à manger tout ce que l'aspirateur n'aura pas réussi à tirer.

— Vous feriez mieux de prendre une cuillère, monsieur, on n'a pas l'électricité, ici !

●

Pierre : Tu sais quoi ? En fin de semaine, à la campagne, mon père est tombé d'un arbre de cinquante pieds de haut !

Micheline : Pauvre lui, j'espère qu'il ne s'est pas blessé trop gravement !

Pierre : Non, non, il était juste grimpé à deux pieds quand il est tombé !

●

C'est le retour à l'école après les grandes vacances.

La prof : Et toi, ma belle, tu as passé de belles vacances ?

L'élève : Oh oui ! C'était fantas-tique... tastique... tastique !

La prof : Où es-tu allée ?

L'élève : Visiter les Rocheuses... Rocheuses... Rocheuses.

La prof : Dis donc, il devait y avoir beaucoup d'écho !

L'élève : Oui ! Comment as-tu deviné... viné... viné ?

●

Francis fait du camping sauvage avec son père.

— Papa, t'as vu ? Je crois que les anges ont mangé la moitié de la lune !

•

Le garde-pêche : Monsieur, la pêche est interdite ici.

Le pêcheur : Mais je ne pêche pas, je suis en train de noyer mon ver de terre !

•

Martin est en vacances dans les Antilles. Un soir, dans un bar, il décide de chanter une belle chanson québécoise. À la table juste devant lui, il aperçoit une femme qui pleure à chaudes larmes.

— Chère madame, vous devez être québécoise !

— Non, je suis musicienne !

•

La famille Turgeon se promène à la campagne.

— Maman, dit Pierre-Yves, ça paraît que je suis né sous le signe du Taureau, les vaches n'arrêtent pas de me regarder.

●

— Pendant mes vacances, il n'a plu que deux fois en un mois.

— Wow! Chanceuse!

— Oui, la première fois pendant 5 jours, et la deuxième fois, pendant 25 jours...

●

— As-tu passé de belles vacances à la mer, Céleste?

— Oui, il a plu seulement trois jours.

— Et le reste du temps?

— Quel reste? Je suis juste partie trois jours!

●

Le père : Alexis ! Je t'ai demandé d'arroser le gazon tous les matins pendant les vacances !

Alexis : Mais papa ! Il pleut !

Le père : Pas grave ! Mets ton imperméable !

●

— Ma sœur est tellement bavarde qu'elle continue à parler même dans son sommeil !

— C'est rien, ça ! Mon frère est tellement bavard que l'été dernier, en vacances, il a attrapé un coup de soleil sur la langue !

●

— Moi, quand je pars en vacances, je suis tellement énervée que je passe la journée avant mon départ à être malade !

— Pauvre toi ! Mais alors, pourquoi tu ne pars pas un jour plus tôt ?

●

Deux amis discutent :

— J'adore l'école !

— Moi aussi. Surtout pendant les vacances d'été !

•

Cécile : Tu sais ce que c'est, une mite ?

Sylvie : Oui, c'est un insecte qui se cache dans les boîtes de vêtements.

Cécile : Ouache ! Pauvres mites, quelle vie !

Sylvie : Pourquoi tu dis ça ?

Cécile : Penses-y ! Elles passent l'été en manteau de fourrure et l'hiver en maillot de bain !

•

Françoise fait une randonnée pédestre à la campagne. Sur son chemin se trouve une petite rivière. Elle se demande bien si elle peut la traverser.

— Pardon, monsieur ! dit-elle à un vieux fermier qui passe par là.

Croyez-vous que je peux traverser la rivière à pied?

— Oh oui! Ce n'est pas creux du tout!

— Merci! Et elle entre dans la rivière. À quelques mètres du bord, la voilà qui s'enfonce jusqu'au cou!

— Franchement, monsieur, lui crie-t-elle, fâchée. Pourquoi vous m'avez fait croire que la rivière n'était pas profonde?

— C'est bizarre, ça! Pourtant, les canards n'en ont pas plus haut que le milieu du ventre!

●

— Cette année, mes parents nous envoient, ma sœur et moi, dans un camp d'été.

— Ah bon! Vous avez besoin de vacances?

— Non, pas nous. Mais nos parents, oui!

●

Monsieur Joly : Ah ! Cette nuit, j'ai fait un rêve formidable ! J'ai rêvé que je faisais une super randonnée en forêt en quatre roues.

Madame Joly : Ah oui ? Eh bien moi, j'ai entendu ronronner ton quatre roues toute la nuit !

●

Un automobiliste est en panne sur une petite route de campagne. Comme il se penche au-dessus du moteur pour tenter de découvrir le problème, une vache s'arrête à ses côtés, le regarde un instant et lui dit :

— Votre problème en est probablement un de carburateur. Étonné, l'automobiliste se met à courir vers une ferme située non loin de là. Il raconte son aventure au fermier. Ce dernier lui demande :

— La vache avait-elle une grande tache brune et blanche au-dessus de l'œil gauche ?

— Oui, oui ! s'écrie l'automobiliste.

— Alors, ne vous en faites pas, c'est la vieille Caillette et elle ne connaît rien en mécanique!

•

— Hier, je suis allé à la pêche. Sais-tu comment j'ai pu mettre un ver de terre sur mon hameçon sans y toucher?
— Non, comment?
— Je l'ai fait mettre par mon père!

•

C'est le jour de la rentrée scolaire pour Simon, qui commence sa quatrième année. Le professeur donne à chaque élève un petit questionnaire à remplir.

Le prof: Simon, franchement! Les vacances sont finies, tu sais. Il faudrait que tu sortes de la lune! Simon: Pourquoi dites-vous ça?

Le prof: À la question « Nom des parents », tu as répondu « Papa et maman »!

•

Que trouve-t-on dans les trois mois de vacances d'été mais pas dans les autres mois ?

La lettre U.

●

En visite à la campagne, deux copines discutent :

— Moi, j'adore les fruits !

— Tous les fruits ?

— Oh oui ! J'en mange même plusieurs fois par jour.

— Ça tombe bien, je voulais justement t'offrir une bonne pomme de route !

●

Pendant les vacances, sur une ferme :

— Vite, Donald ! Va dire à la voisine que ses quatre vaches sont sorties de l'enclos ! Donald part à toute vitesse, mais en chemin, il oublie le message que sa mère lui a demandé de faire.

Il revient donc à la maison :

— Maman, qu'est-ce que tu veux que je dise à la voisine ?

— Dis-lui que ses quatre vaches se sont sauvées ! Il repart, oublie encore son message et revient voir sa mère.

— C'est la dernière fois que je te le répète ! Va dire à la voisine que ses quatre vaches sont sorties de l'enclos ! Donald prend ses jambes à son cou, arrive chez sa voisine et lui dit d'une traite : Madame la vache, vos quatre voisines sont sorties de l'enclos !

●

— Quelle est la lettre préférée des écoliers ?

— Je ne sais pas.

— La lettre V.

— Pourquoi ?

— Parce qu'elle est au début des vacances !

●

La scène se passe un matin du mois de février. Sur une tablette d'épicerie, un pain blanc dit à un pain brun :

— Wow ! Tu reviens de vacances, chanceux ?

•

— Qu'est-ce qui est jaune et noir et se promène avec une serviette ?

— Je ne sais pas.

— Une abeille en vacances à la mer !

•

Annie : La semaine dernière, à la campagne, on a visité une ferme d'élevage de vers de terre. Et le même soir, on a soupé au restaurant d'à côté. Eh bien, sais-tu ce que j'ai trouvé dans ma salade ?

Thomas : Non !

Annie : De la laitue, comme d'habitude !

•

Pendant le cours de français, André est complètement dans la lune. Il pense aux prochaines vacances d'été. La maîtresse s'en aperçoit et lui pose une question, histoire de le réveiller un peu :

— André, qu'est-ce qu'il faut mettre au bout d'une ligne ?

— Un hameçon et un ver de terre !

●

Un homme et sa vache font du pouce sur une route de campagne. Un automobiliste s'arrête.

— Je peux bien vous conduire où vous voulez, mais je ne peux pas faire monter votre vache.

— Pas de problème ! répond le fermier. Je vais l'attacher derrière la voiture. Et voilà nos amis qui commencent à rouler. Dix kilomètres à l'heure, vingt, trente kilomètres à l'heure, la vache suit toujours. À cinquante kilomètres à l'heure, le conducteur s'inquiète, mais le fermier le rassure :

— Pas de problème, je vous dis ! Ma vache est très résistante ! Le conducteur continue d'accélérer : soixante-dix, quatre-vingts, quatre-vingt-dix kilomètres à l'heure. La vache est toujours là ! Mais à cent kilomètres à l'heure :

— Regardez votre pauvre animal ! La langue lui pend du côté gauche !

— Pas de problème, je vous l'ai dit ! C'est juste qu'elle met son clignotant pour vous dépasser !

•

Valérie : Il fait tellement chaud cet été !

Jean-Philippe : Oh, oui ! Tu as bien raison. Sais-tu quelle température on annonce pour demain ?

Valérie : Il paraît que la température va grimper à 32 degrés à l'ombre !

Jean-Philippe : Wow ! On est mieux de ne pas se tenir à l'ombre demain !

•

Antonin et ses parents sont en vacances à la ferme. À l'heure du dîner, on place sur la table de délicieux petits pains faits à la maison. Malheureusement, le beurre est tellement mou que la mère d'Antonin n'arrive pas à tartiner.

— Qu'est-ce que tu veux, ma pauvre maman! lui dit Antonin. Ce n'est pas étonnant, les vaches passent leurs journées au soleil!

•

Les élèves sont de retour à l'école après une tempête de neige.

— Vous êtes bien chanceux! dit la prof. Une belle journée de vacances pour jouer dehors. J'espère que vous en avez bien profité!

— Oh oui! répond Laurent. Et j'ai demandé au ciel de nous envoyer encore plus de neige!

•

Des copains sont partis ensemble en camping. Ils font les repas à tour de rôle. Un bon matin, c'est au tour de Yan.

— Bon! Qu'est-ce que vous voulez pour déjeuner, aujourd'hui? Du beurre d'arachide au sable, du miel à la lotion solaire ou de la confiture aux fourmis?

•

Évelyne: Ma mère s'est fait très mal cet été en prenant un bain de lait.

Odile: Que lui est-il arrivé?

Évelyne: La vache lui est tombée dessus!

•

Deux copains regardent les photos de leurs dernières vacances:

— Sur celle-là, je trouve que j'ai l'air d'un vrai imbécile!

— Tu crois? Moi je trouve que tu as l'air très naturel!

•

Chez le médecin :

— As-tu déjà eu un accident à la tête, Alice ?

— Non.

— Jamais, jamais ?

— Mais non... C'est-à-dire que l'été dernier, ma sœur m'a fait rentrer dans un mur de béton la tête la première.

— Et tu n'appelles pas ça un accident ?

— Mais non, ce n'était pas un accident. Elle l'a fait exprès !

●

Le père : Qu'as-tu appris à l'école aujourd'hui ?

La fille : Que les choses se contractent au froid et se dilatent à la chaleur.

Le père : As-tu un exemple ?

La fille : Bien sûr. C'est pour cette raison que les jours sont bien plus longs en été qu'en hiver !

●

Deux grains de sable sont en vacances dans le désert. L'un dit à l'autre :

— J'ai l'impression qu'on nous suit !

●

En camping :

— Maman ! crie Carole, je viens de voir un ours près de la glacière !

— Mais non, voyons ! Il n'y a pas d'ours ici, c'est une hallucination ! Dix minutes plus tard, Carole revient en courant :

— Maman ! Maman ! L'hallucination a ouvert la glacière et a commencé à manger nos sandwichs !

●

Deux vers de terre discutent :

— Que fais-tu pendant tes vacances ?

— Je crois que je vais aller à la pêche !

●

La fille : Mon prof devrait changer de métier.

La mère : Que devrait-elle faire ?

La fille : Travailler dans une agence de voyages.

La mère : Pourquoi ?

La fille : Parce qu'elle envoie toujours promener les élèves !

●

Jonathan s'en va voir son ami Bruno à son retour de vacances.

— Alors, tu t'es bien amusé ?

— Oh oui ! Nous avons visité plusieurs villes célèbres !

— Lesquelles ?

— Eh bien, je suis allé dans la ville où l'on trouve plus de brouillard que n'importe où ailleurs sur la planète !

— C'est fantastique ! Comment s'appelle cet endroit ?

— Je ne sais pas, je n'ai pas réussi à lire le panneau !

●

Gilberto : Pendant les vacances d'hiver, je suis allé visiter le Grand Nord.

Janie : As-tu eu froid ?

Gilberto : Oh oui ! Mais tu sais que grelotter est très pratique pour se brosser les dents.

Janie : Comment ça ?

Gilberto : Je n'avais qu'à ouvrir la bouche, tenir ma brosse immobile et ça se faisait tout seul !

•

Monsieur Chose : Pour faire changement du homard, je suis allé pêcher à la truite. J'en ai attrapé une qui devait bien mesurer 40 cm de long !

Monsieur Untel : Oui, oui... Est-ce que des gens l'ont vue, la fameuse truite ?

Monsieur Chose : Oui, il y avait des témoins ! Sinon, tu peux être sûr qu'elle aurait mesuré au moins 10 cm de plus !

•

Deux copines discutent :

— Moi, j'aime bien mieux aller en vacances à la mer qu'à la montagne.

— Pourquoi ?

— Quand tu as un problème à la mer, c'est toujours un beau sauveteur qui vient te secourir tandis qu'à la montagne, on t'envoie un saint-bernard !

●

Mylène : Qu'est-ce qui marche à quatre pattes au printemps, sur deux pattes l'été, et sur trois pattes l'hiver ?

Yolande : Je ne sais pas.

Mylène : L'être humain.

●

— Je trouve qu'aller à la pêche est une merveilleuse façon de relaxer !

— Ça dépend pour qui !

— Qu'est-ce que tu veux dire ?

— Tu demanderas à un ver de terre s'il est de ton avis !

●

Yvan est en vacances à la plage. Au bout de quelques jours, il va chez le médecin.

— Que puis-je faire pour vous, monsieur?

— Avez-vous quelque chose pour guérir un coup de soleil par-dessus une réaction à l'herbe à puce, le tout couronné de piqûres de maringouins?

●

Nicolas a loué un chalet à la campagne. Un bon matin, il décide de se rendre au village voisin en passant par la forêt. Il se trompe de chemin, et marche plusieurs heures sans rencontrer âme qui vive. Heureusement, il finit par croiser un chasseur et lui demande s'il sait où se trouve le village.

— Ah, vous êtes perdu! s'exclame le chasseur.

— Non, non, pas du tout, répond Nicolas, insulté. Je sais très bien que je suis ici. C'est le village qui est perdu...

●

Un citadin fait une balade sur un petit chemin de campagne. Il ne sait plus où il est rendu. Tout à coup, le chemin bifurque et il n'y a aucune affiche. Un vagabond s'approche.

— Dites-moi, demande le citadin, où conduit le chemin qui va vers la gauche ?

— Je ne le sais pas, répond le vagabond.

— Et où mène le chemin qui va vers la droite ? reprend le citadin.

— Je l'ignore, fait encore le vagabond.

— Vous n'êtes pas très brillant ! s'exclame le citadin.

— Je ne suis peut-être pas brillant, mais moi, au moins, je ne suis pas perdu.

•

Quel est l'animal toujours en vacances ?

— Je ne sais pas.

— Le Léo-part.

•

Le gardien dit à un homme qu'il trouve en train de pêcher :

— Dites donc, vous n'avez pas vu l'écriteau : Terrain privé. Défense de pêcher.

— Oh non ! Je ne lis jamais ce qui est privé !

●

Deux voisins discutent :

— As-tu des projets pour cet hiver ?

— Je pense à des vacances dans les Antilles.

— Ça va sûrement coûter très cher !

— Non.

— Comment ça ?

— Penser ne coûte rien !

●

— Aujourd'hui, on a eu un cours sur les statistiques, annonce Éric.

— Peux-tu me donner un exemple ?

— D'accord. Il y a 66 % de chances qu'il pleuve la nuit où tu décides d'aller faire du camping !

●

Simon : Je suis allé en vacances à la montagne cet été.

Nicole : Moi aussi !

Simon : L'écho était fantastique ! Quand je criais une phrase, il la répétait au complet !

Nicole : Ce n'est rien, ça ! Là où je suis allée, quand je criais une question, l'écho me répondait !

•

Deux soeurs se demandent quoi faire un jour de congé :

— J'aurais envie de faire des beignes.

— Quelle bonne idée.

— Mais je ne sais pas comment faire.

— C'est facile, j'ai bien remarqué comment fait maman.

— Oui ?

— On prend des trous et on met de la pâte tout autour.

•

Kevin vient de s'acheter une voiture sport ultra rapide. Avec cette auto, il dépasse tout le monde sur la route! Un jour, sur un petit chemin de campagne, il aperçoit un vieil homme sur une bicyclette. Il accélère un peu mais, à sa surprise, le vieil homme est toujours à côté de lui. Kevin décide de mettre son moteur à l'épreuve et monte à la vitesse maximale. Pourtant, il ne réussit pas à dépasser le vieil homme. Au comble de l'étonnement, il s'arrête et demande au cycliste:

— Mais comment se fait-il que vous réussissiez à rouler aussi vite que ma voiture sport?

— Ce n'est pas compliqué, mon garçon, répond-il, c'est parce que ma bretelle est restée accrochée à ton antenne!

CONCOURS

Tu dois connaître, toi aussi, de courtes histoires drôles. Alors, pourquoi ne pas nous en faire parvenir quelques-unes?

Parmi celles reçues, certaines seront retenues pour publication et l'auteur(e) recevra une surprise.

Participe le plus vite possible et envoie tes histoires drôles à:

CONCOURS HISTOIRES DRÔLES
Les éditions Héritage inc.
300, rue Arran
Saint-Lambert (Québec)
J4R 1K5

Nous avons hâte de te lire!

À très bientôt donc!

Achevé d'imprimer en janvier 2004 sur les presses de
Payette & Simms inc. à Saint-Lambert (Québec)